Text copyright © 2005 by Joy Cowley.

Endnotes copyright © 2005 by Nic Bishop.

Photographs copyright © 2005 by Nic Bishop.

First edition, April 2005.

Book Design by David Caplan

ISBN 978-0439-86282-0

First Arabic Edition, 2006. Printed in China.

1 2 3 4 5 6 7 8 9 10 62 11 10 09 08 07

تَأْخُذُ الْحِرْباءَةُ دائِمًا جانِبَ الْحَذَرِ، وَغالِبًا ما تَتَجَنَّبُ الْمُواجَهَةَ مَعَ أَنْواعٍ جِنْسِها. وَهِيَ تَنْزِلُ أَحْيانًا إِلَى الْأَرْضِ، إِمّا لِتَبْحَثَ عَنْ شَجَرَةٍ أُخْرى فيها الْكَثيرُ مِنَ الْحَشَراتِ، وَإِمّا لِلتَّزاوُجِ. وَمَتَى حَدَثَ ذَلِكَ، تُصْبِحُ الْحِرْباءَةُ مَكْشوفَةً لِلنَّظَرِ، وَعُرْضَةً لِلْخَطَرِ، فَيَزْدادُ حَذَرُها مِنْ حَيَواناتِ الْغابَةِ. مِنْ هَذِهِ الْحَيَواناتِ، الثَّعابينُ، وَالْعَقارِبُ، الَّتي تُشَكِّلُ خَطَرًا عَلَيْها. أَمّا أَبو بُرَيْصٍ، فَلا خَطَرَ مِنْهُ. وَقَدْ تَلْتَقي

الْحِرْباءَةُ، أَيْضًا، بِمَثيلاتِها الصَّغيرَةِ الْحَجْمِ، وَالَّتي لا يَتَعَدَّى طولُها ثَماني سَنْتيمِتْراتٍ، وَتَعيشُ عَلى أَوْراقِ الْأَشْجارِ الْمَيِّتَةِ الْمَرْمِيَّةِ عَلَى الْأَرْضِ.

تُعْرَفُ الْحِرْباءَةُ بِقُدْرَتِها عَلى تَغْييرِ لَوْنِ جِلْدِها. وَقَدِ اعْتَقَدَ النّاسُ يَوْمًا أَنَّها تَقومُ بِذَلِكَ لِتَتَلاءَمَ وَأَلْوانَ مُحيطِها. غَيْرَ أَنَّ أَنْواعًا قَليلَةً مِنَ الْحَرابيِّ قادِرَةٌ عَلى تَبْديلِ أَلْوانِها، وَهِيَ تَفْعَلُ ذَلِكَ مِزاجِيًّا. فَقَدْ تُصْبِحُ أَلْوانُ الْحِرْباءَةِ داكِنَةً عِنْدَ انْزِعاجِها، أَوْ شُعورِها بِالْبَرْدِ. أَوْ قَدْ تُصْبِحُ أَلْوانُها زاهِيَةً عِنْدَ اسْتِسْلامِها لِلنَّوْمِ.

غالِبًا ما تُبَدِّلُ الْحِرْباءَةُ لَوْنَها عِنْدَما تَلْمَحُ أَحَدًا مِنْ فَصيلَتِها. فَأَلْوانُ الذَّكَرِ تَزْهو، إِمّا لِلتَّأْثيرِ عَلَى الْأُنْثى، وَإِمّا لِإخافَةِ ذَكَرٍ آخَرَ. أَمّا إِناثُ الْحَرابيِّ، فَتَسْتَخْدِمُ أَلْوانَها الْخاصَّةَ بِها، إِمّا لِتَشْجيعِ الذُّكورِ عَلَى الِاقْتِرابِ مِنْها، وَإِمّا لِدَفْعِهِمْ إِلَى الِابْتِعادِ عَنْها. وَبِما أَنَّ الْحِرْباءَةَ ضَعيفَةُ السَّمْعِ، فَهِيَ تَسْتَخْدِمُ اللَّوْنَ وَسيلَةً لِلتَّخاطُبِ مَعَ أَفْرادِ جِنْسِها.

هَلْ تَعْلَمُ؟

الْحِرْباءَتانِ الْمُصَوَّرَتانِ في هذا الكِتابِ هُما مِنْ فَصيلَةِ عِظاءِ النَّمِرِ الَّتي تَسْتَوْطِنُ جَزيرَةَ مَدَغَشْقَرَ الْغَنِيَّةَ بِأَنْواعِ الْحَيَواناتِ الْغَريبَةِ وَالرّائِعَةِ. فَهُناكَ أَبو بُرَيْصٍ الَّذي يَبْدو كَطُحْلُبٍ يَنْمو عَلى جُذوعِ الأَشْجارِ، كَما كَغَيْرِهِ مِنَ الْحَيَواناتِ الَّتي تَبْدو كَأَوْراقِ أَشْجارٍ مَيْتَةٍ مَرْمِيَّةٍ عَلى الأَرْضِ. هذِهِ هِيَ الضَّفادِعُ الصَّغيرَةُ السّامَّةُ بِأَلْوانِها الزّاهِيَةِ الَّتي تُنَبِّهُ الْحَيَواناتِ الأُخْرى مِنْ خَطَرِ الاِقْتِرابِ مِنْها.

تَتَفاوَتُ أَحْجامُ الْحَرابِيِّ. فَمِنْها ما هُوَ كَبيرٌ بِحَجْمِ السِّنْجابِ، وَمِنْها ما هُوَ صَغيرٌ جِدًّا بِحَجْمِ عودِ ثِقابٍ. يَبْلُغُ طولُ ذَكَرِ الْحِرْباءِ خَمْسَةً وَأَرْبَعينَ سَنْتيمِتْرًا تَقْريبًا، فيما لا يَتَعَدّى طولُ الأُنْثى عِشْرينَ سَنْتيمِتْرًا. مُعْظَمُ أَنْواعِ الْحَرابِيِّ يَعيشُ عَلى أَغْصانِ الأَشْجارِ، حَيْثُ يَخْتَبِئُ بَيْنَ أَوْراقِها. وَالْحَرابِيُّ حَيَواناتٌ حَذِرَةٌ جِدًّا، تَتَحَرَّكُ بِبُطْءٍ آخِذَةً بِعَيْنِ الاِعْتِبارِ كُلَّ خُطْوَةٍ تَخْطوها. أَقْدامُها كَالْكَمّاشَةِ، وَذُيولُها طَويلَةٌ تُساعِدُها عَلى التَّنَبُّهِ إِلى وُجودِ الْخَطَرِ، أَوِ الطَّعامِ.

عِنْدَما تَرْصُدُ الْحِرْباءَةُ طَعامَها الْمُفَضَّلَ، كَالذُّبابِ، أَوِ الْجَنادِبِ، أَوِ الْيَرَقاناتِ، فَهِيَ تَزْحَفُ قُرْبَها، وَتُطْلِقُ فَجْأَةً لِسانَها الطَّويلَ. عَضَلاتُ مُقَدَّمَةِ لِسانِها تُمْسِكُ بِالْحَشَرَةِ، وَتَسْحَبُها إِلى داخِلِ فَمِها.

...أَلْوانُهُما مُفْرِحَةٌ.

حِرْباءَتانِ صَديقَتانِ...

عِنْدَها، تَرى أَنَّها مُسالِمَةٌ.
فَتُرَحِّبُ بِها بِأَلْوانٍ باهِتَةٍ.

لكِنَّ الْحِرْباءَةَ الأولى تُحَيّيها بِأَلْوانِها الزّاهِيَةِ.

هُناكَ مَنْ يُراقِبُ.
حِرْباءَةٌ ثانِيَةٌ
تَعيشُ عَلى هذِهِ الشَّجَرَةِ.

جِلْدُها مُسْوَدٌّ،
وَأَلْوانُهُ تَدُلُّ عَلى الْغَضَبِ.
اِنْصَرِفي مِنْ هُنا!

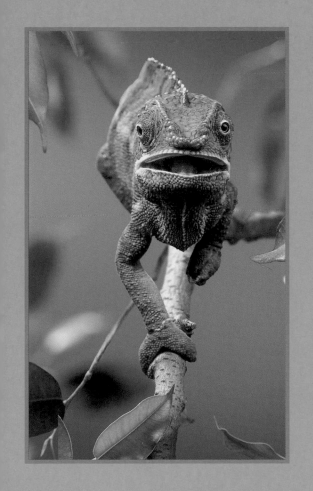

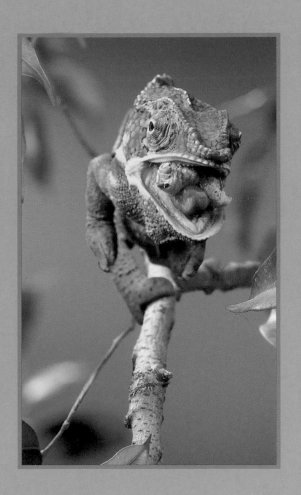

تَمْضَغُ،

تَمْضَغُ،

وَتَبْلَعُ!

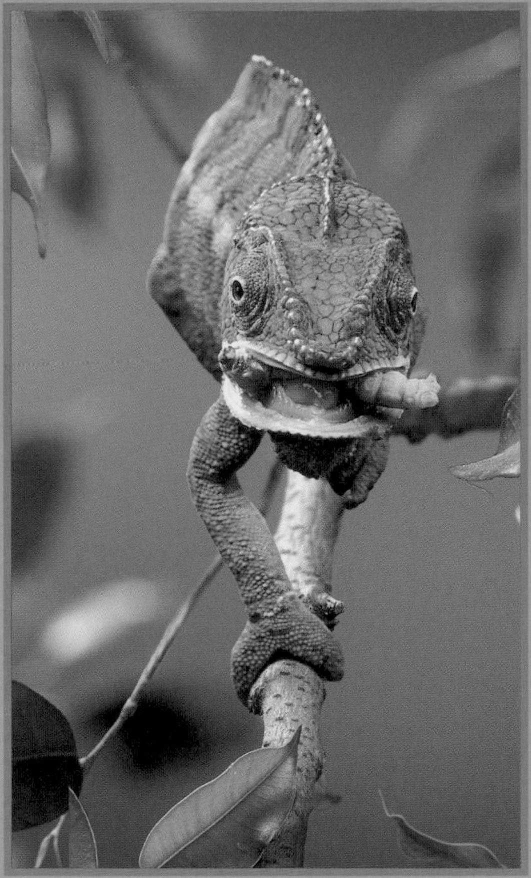

تَلْتَقِطُها

بِلِسانِها

الطَّويلِ!

تَرى الْحِرْباءَةُ يَرَقانَةً.

هَلْ هُناكَ طَعامٌ عَلى هذِهِ الشَّجَرَةِ؟ أَجَلْ!

خُطْوَةً...

خُطْوَةً...

خُطْوَةً.

أَخيرًا، وَجَدَتِ الْحِرْباءَةُ
شَجَرَةً جديدَةً.
هِيَ في أَمانٍ مَرَّةً أُخْرى.
وَبَدَأَتْ تَتَسَلَّقُ بِبُطْءٍ،

زَحَفَتِ الْحِرْباءَةُ أَمامَها بِحَذَرٍ، وَابْتَعَدَتْ.

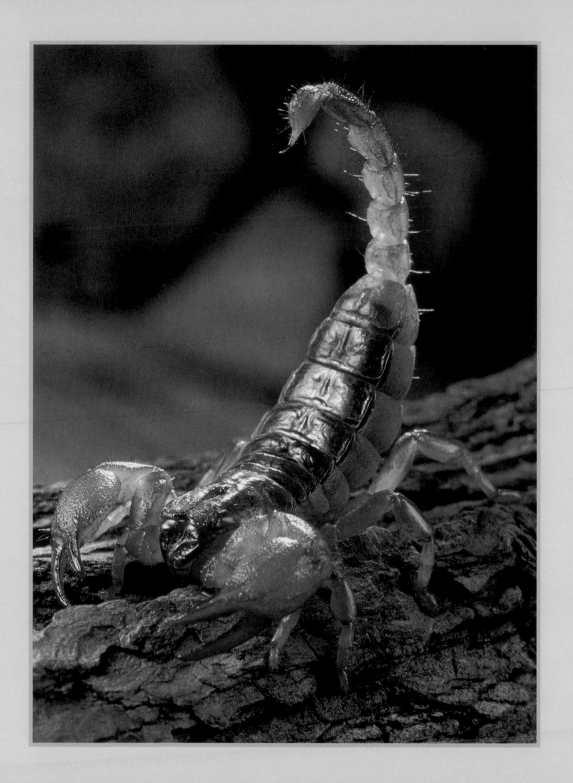

ما هذِهِ؟
عَقْرَبٌ!

اِنْتَبِهي، يا
حِرْباءَةُ!
لَسْعَةُ الْعَقْرَبِ
سامَّةٌ.

أَبو بُرَيْص لَنْ يُؤْذِيَ الْحِرْباءَةَ.
تابَعَتِ الْحِرْباءَةُ سَيْرَها.

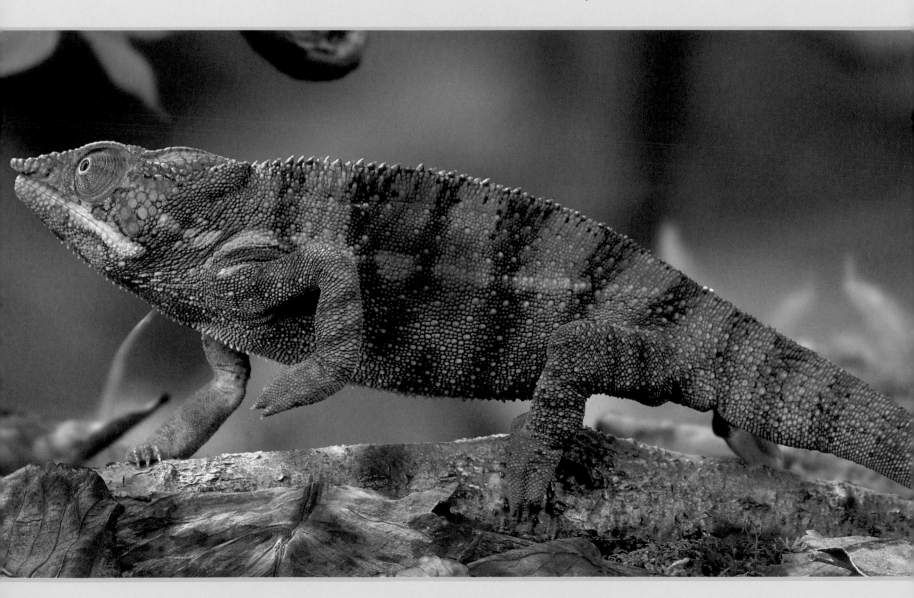

شَيْءٌ ما يَتَدَلّى مِنْ غُصْنٍ رَفيعٍ. فَجْأَةً، يَقْفِزُ!

أَبو بُرَيْصٍ آخَرُ!

ما تِلْكَ؟

إِنَّها ضِفْدِعَةٌ صَغيرَةٌ.

الضِّفْدِعَةُ لَنْ تُؤْذِيَها، أَيْضًا.

ما هذِهِ؟

إِنَّها حِرْباءَةٌ صَغيرَةٌ.

وَهِيَ لَيْسَتْ خَطِرَةً.

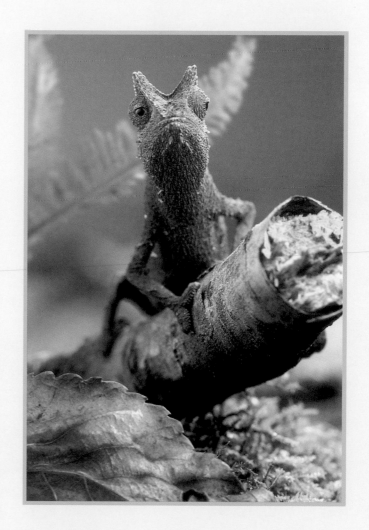

تَنْظُرُ في هذا الاِتِّجاهِ ...

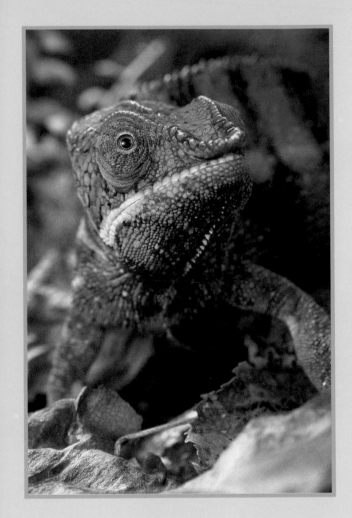

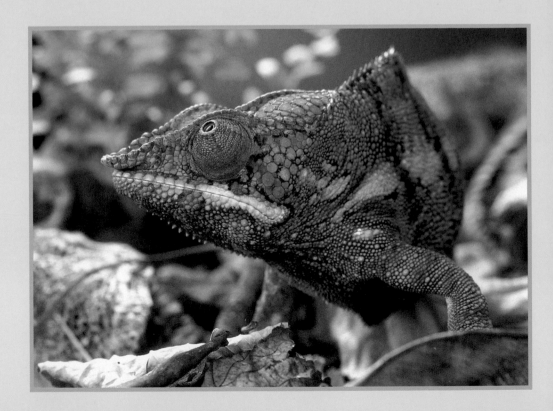

... وَذاكَ الاِتِّجاهِ،

تَتَنَبَّهُ إِلى وُجودِ خَطَرٍ.

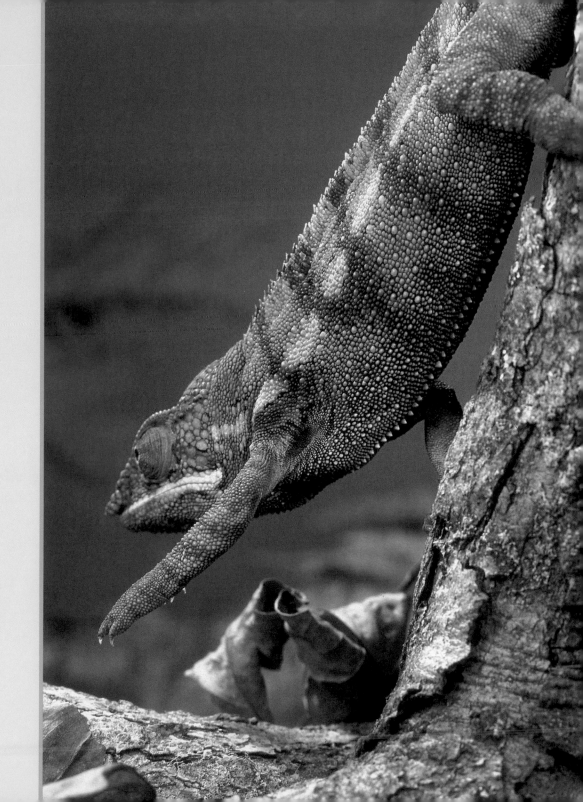

خُطْوَةً خُطْوَةً،
زَحَفَتِ الْحِرْباءَةُ
نُزولاً إِلى الأَرْضِ.

أَبو بُرَيْصٍ!

يَبْدو أَبو بُرَيْصٍ مُخيفًا،

لكِنَّهُ لَنْ يُؤْذِيَ الْحِرْباءَةَ.

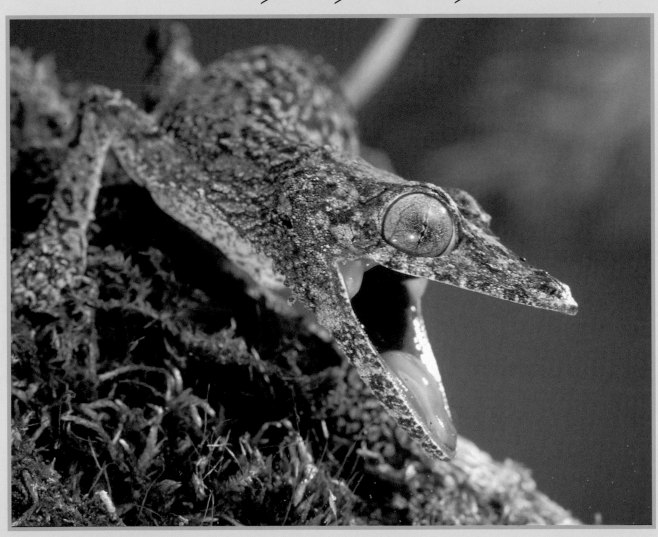

...خُطْوَةً

وَتَوَقَّفَتْ.

هَلْ يَخْتَبِئُ شَيْءٌ ما هُناكَ؟

خُطْوَةً...

وَبِبُطْءٍ، نَزَلَتِ الْحِرْباءَةُ عَنِ الشَّجَرَةِ، خُطْوَةً...

لا طَعامَ! لا طَعامَ !

عَلَيْها أَنْ تَجِدَ بَيْتًا آخَرَ عَلى شَجَرَةٍ جديدَةٍ.

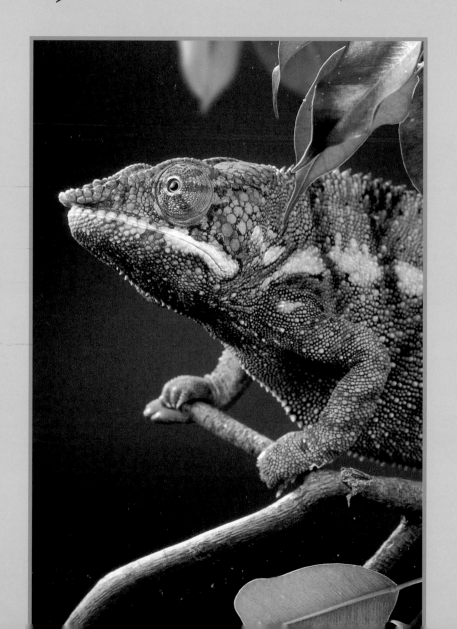

اِسْتَيْقَظَتِ الحِرْباءَةُ جائِعَةً،
تَبْحَثُ عَنْ حَشَرَةٍ لَذيذَةٍ.
فَنَظَرَتْ بِهذا الاِتِّجاهِ...

...وَبِذاكَ الاِتِّجاهِ.

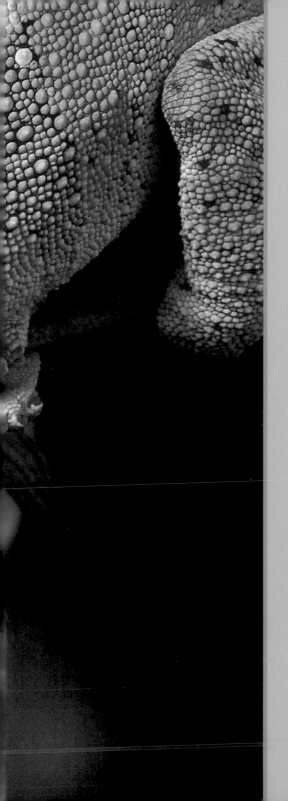

الْحِرْباءَةُ تَسْتَريحُ

عَلى شَجَرَتِها.

أَلْوانُ جِلْدِها تُشيرُ إِلى شُعورِها بِالأَمانِ.

حرْباءَةٌ،
حرْباءَةٌ

تَأْليفُ: جويْ كولي

تَصْويرُ: نِكْ بيشوب

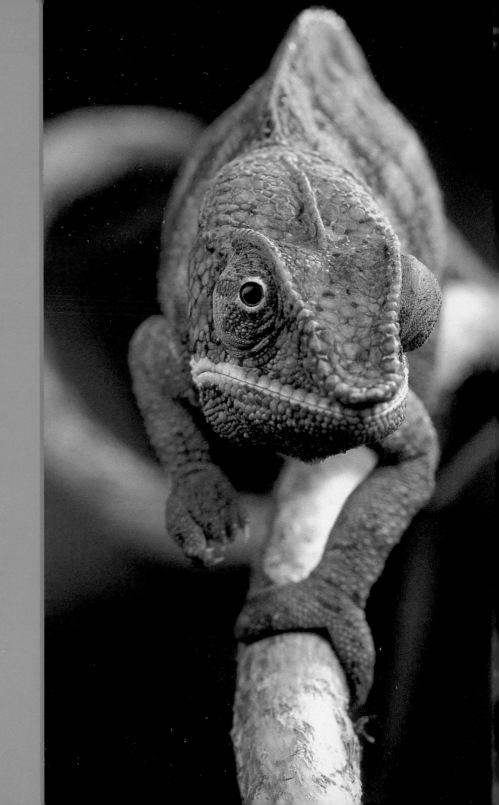